Benjamin
en vacances

Une histoire et des jeux

Données de catalogage avant publication (Canada)

Bourgeois, Paulette
  Franklin goes to day camp. Français
Benjamin en vacances : un livre et des jeux

Publié aussi en anglais sous le titre: Franklin goes
to day camp.

ISBN 0-590-16557-7

I. Clark, Brenda. II. Mason, Jane B. III. Duchesne, Lucie.
IV. Titre. V. Titre: Franklin goes to day camp. Français.

PS8553.085477F68414 1997 jC813'.54 C97-930045-2
PZ23.B68Be 1997

Benjamin est la marque déposée de Kids Can Press Ltd.

Conception graphique de Karen Powers

Édition publiée par Les éditions Scholastic, 123, Newkirk Road, Richmond
Hill (Ontario) L4C 3G5, avec la permission de Kids Can Press Ltd.

4 3 2 1   Imprimé à Hong-Kong   5 6 7 8/9

Benjamin en vacances

Une histoire et des jeux

Paulette Bourgeois • Brenda Clark
Activités de Jane B. Mason
Texte français de Lucie Duchesne

Les éditions Scholastic

Benjamin peut nager jusqu'au bout de l'étang. Il peut ramer dans la barque. Il connaît les paroles de deux chansons qu'on chante le soir autour d'un feu de camp et il est même déjà allé passer la nuit chez Ourson. Mais Benjamin est inquiet. Il n'est jamais allé à un camp de jour et il ne sait pas s'il va aimer ça.

Au petit déjeuner, Benjamin demande à sa maman :

— Qu'est-ce que je vais faire, au camp?

— Plein de choses amusantes, j'imagine, répond-elle.

Benjamin prépare son sac à dos. Il a besoin d'un chapeau et d'écran solaire, d'une serviette et d'un imperméable.

— Il te faut aussi tes crayons de couleur, dit la mère de Benjamin.

— Le camp n'est pas comme l'école, non? demande Benjamin.

— Le camp est encore mieux que l'école! répond-elle en riant.

Benjamin a des crampes à l'estomac lorsque l'autobus du camp arrive devant chez lui.

— Amuse-toi bien et sois prudent, disent ses parents.

Benjamin monte à bord de l'autobus. Tous ses amis sont là.

L'animatrice du camp est dans l'autobus. Elle donne un petit livre à chacun des campeurs.

— C'est votre journal, explique-t-elle. Chaque jour, vous le remplirez. À la fin de la semaine, vous aurez des pages et des pages de souvenirs.

— J'espère que ce seront de bons souvenirs, grogne Castor.

L'autobus avance en cahotant sur la route et arrive bientôt au camp.

— Je me demande ce que nous ferons en premier, dit Benjamin.

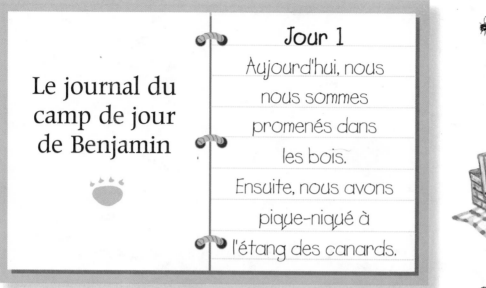

Le journal du camp de jour de Benjamin

Jour 1

Aujourd'hui, nous nous sommes promenés dans les bois. Ensuite, nous avons pique-niqué à l'étang des canards.

 Qu'est-ce que Benjamin a mangé au pique-nique?
Pour le savoir, résous cette énigme.
Utilise ce code et inscris les bonnes lettres plus bas.

R	U	H	A	V	M	I	L	C	O	S	E
★	♣	❀	☛	♥	▲	☎	❖	☉	✳	✌	❤

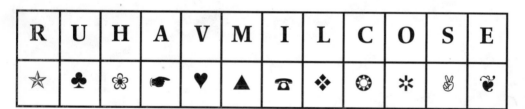

Voici ce que Benjamin a mangé : des ___ ___ ___ ___ ___ ___ ___ , d
▲ ✳ ♣ ☉ ❀ ❤ ✌

___ ___ ___ ___ et des
♥ ❤ ★ ✌

___ ___ ___ ___ ___ ___ ___ !
❖ ☎ ▲ ☛ ☉ ❤ ✌

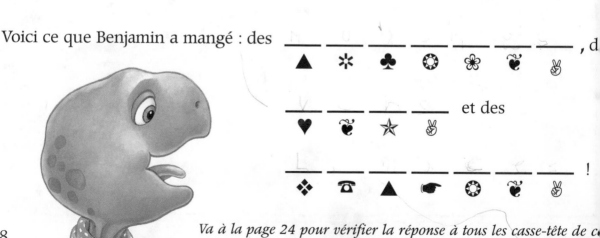

Va à la page 24 pour vérifier la réponse à tous les casse-tête de c

Peux-tu trouver le chemin que les campeurs ont pris pour aller à l'étang des canards?

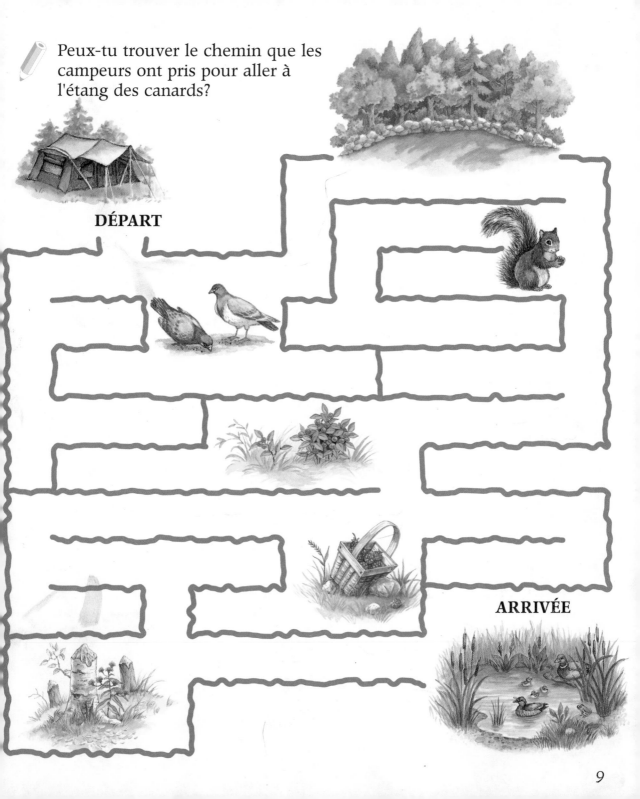

DÉPART

ARRIVÉE

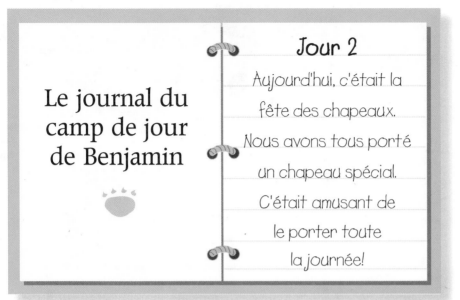

Le journal du camp de jour de Benjamin

Jour 2

Aujourd'hui, c'était la fête des chapeaux. Nous avons tous porté un chapeau spécial. C'était amusant de le porter toute la journée!

 Benjamin a toutes sortes de chapeaux. Lequel a-t-il choisi pour la fête des chapeaux? Pour trouver la réponse, rature tous les **B**, les **Z** et les **H** ci-dessous. Ensuite, inscris les autres lettres sur les traits.

B L H A Z H C Z B A S H Q H B U Z H E H T Z T E H B D Z E H M H A Z B R I B H N

__ __ __   __ __ __ __ __   __ __ __   __ __

__ __ __ __ __

est le chapeau que Benjamin a porté ce jour-là.

Le journal du
camp de jour
de Benjamin

Jour 3

Il a plu toute la journée!
Mais nous nous sommes
amusés quand même.
Nous avons chanté, fait
des bricolages et joué
à un nouveau jeu.

La course à obstacles

Le jeu sur les deux pages qui suivent est une course à obstacles que
tu dois faire le plus rapidement possible. Le premier joueur
qui arrive à l'ARRIVÉE est le gagnant.

Pour jouer, il te faut :
- un jeton pour chaque joueur (des boutons
  ou des objets de couleurs différentes)
- un dé
- la planche de jeu des deux pages qui suivent

Comment jouer
1. Chaque joueur place son jeton sur
   la case DÉPART.
2. À tour de rôle, les joueurs lancent le dé
   et déplacent leur jeton.
3. Si tu arrives sur une case spéciale, suis les instructions.
4. Il peut y avoir plus d'un joueur sur la même case.
5. Pour atteindre la case d'arrivée, il faut obtenir le nombre exact.
   Sinon, le joueur recommence au tour suivant.

La course à obstacles

DÉPART

Tu trouves le bon sentier. Avance de 3 cases.

Un bourdon te poursuit. Recule de 2 cases.

Tu trébuches sur une roche. Recule de 1 case.

Tu traverses le ruisseau. Avance de 3 cases.

Tu zigzagues entre 3 troncs d'arbres. Avance de 3 cases.

Tu trouves un raccourci. Avance de 2 cases.

Tu tombes d'un arbre. Recule de 1 case.

Tu glisses sur l'herbe mouillée. Recule de 2 cases.

Tu sautes par-dessus une flaque de boue. Avance de 3 cases.

Tu es pris dans un arbre creux. Recule de 1 case.

ARRIVÉE!

Le journal du camp de jour de Benjamin

Jour 4

Il fait beau!
Nous faisons
une course.

Benjamin et six de ses amis font une course.
Démêle les lettres pour découvrir leurs noms.

NAMNBIJE — _ _ _ _ _ _ _ _

TSAOCR — _ _ _ _ _ _

SRUNOO — _ _ _ _ _ _

AHRBEENC — _ _ _ _ _ _ _ _

RACAND — _ _ _ _ _ _

NERRDA — _ _ _ _ _ _

PLINA — _ _ _ _ _

Le journal du
camp de jour
de Benjamin

Le feu de camp

Nous avons eu un
repas autour d'un
feu de camp.
Ourson et moi, nous
avons fait cuire des
hot dogs. Miam!

Voici une grille mystère. Lis les indices et inscris les réponses dans la grille.

Horizontalement

1. Après le feu de camp, l'animatrice leur lit une _____ .
2. Ourson et Benjamin sont de bons _____ .
3. Il en faut pour faire un feu de camp.
4. Les hot dogs _____ au-dessus du feu.

Verticalement

3. Les hot dogs d'Ourson et de Benjamin sont _____ .
5. Elles brillent dans le ciel, le soir.
6. Le soir du feu de camp, Ourson et Benjamin en ont fait cuire.
7. Benjamin a mangé un hot dog, mais Ourson en a mangé _____ .

Voici les mots à utiliser :

amis	étoiles
cuisent	hot dogs
bois	deux
bons	histoire

Le journal du camp de jour de Benjamin

Jour 5

C'est le dernier jour du camp! Nous avons fait du sport et nous nous sommes amusés.

La journée des sports, les campeurs ont pratiqué toutes sortes de sports différents. Peux-tu trouver dans la grille ces huit mots reliés aux sports? (Un indice : ils sont inscrits à l'horizontale et à la verticale.) Benjamin a déjà trouvé un mot pour toi.

BALLE   **SOCCER**   **NAGER**
BUT   **ENTRAINEUR**   **BASEBALL**
PLONGER   **BATON**   **FRAPPER**

C	V	S	O	C	C	E	R	W	B
B	A	S	N	A	G	E	R	I	P
A	C	B	H	T	P	L	O	N	G
S	O	U	T	B	A	L	L	E	F
E	N	T	R	A	I	N	E	U	R
B	F	R	A	T	O	C	C	E	A
A	E	R	O	O	N	R	A	G	P
L	I	E	N	N	B	A	L	L	P
L	O	P	L	O	N	G	E	R	E
S	B	A	T	O	P	N	A	G	R

19

À la fin de la semaine, Benjamin a joué dans les balançoires et a appris un nouveau jeu. Il a réussi l'examen de natation et a frappé un coup sûr au baseball. Il a fabriqué un bol en argile et un sifflet avec une herbe plate. Et il a même appris quatre nouvelles chansons.

— As-tu aimé ta semaine au camp? demande la maman de Benjamin.

— C'était fantastique! s'écrie Benjamin. Avez-vous vu?

Il montre son journal à ses parents.

— C'est seulement une partie de ce qu'on a fait! dit-il. Mais il y a un problème.

Les parents de Benjamin ont l'air inquiet.

— Qu'est-ce que c'est? demande son papa.

— C'est déjà fini! gémit Benjamin.
Puis il a une bonne idée.
— L'an prochain, dit-il, je pourrai y aller deux
semaines et avoir deux fois plus de plaisir!

Le journal du
camp de jour
de Benjamin

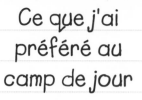

Ce que j'ai
préféré au
camp de jour

1. Voir mes amis
2. Nager
3. Jouer à des jeux
4. Attraper des
    mouches

Benjamin a fait la liste de ce qu'il a préféré au camp de jour.
Inscris les choses que tu aimes le plus au camp de jour.
(Si tu ne vas pas en camp de jour, inscris ce
que tu préfères en été.)

1. _____

2. _____

3. _____

4. _____

Réponses

Page 8

des MOUCHES, des VERS et des LIMACES!

Page 9

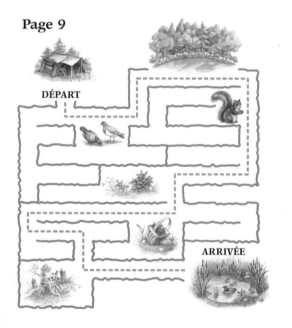

DÉPART

ARRIVÉE

Page 10

B̶ L H̶ A Z̶ H̶ C Z̶ B A S H̶ Q H̶ B̶ U Z̶ H̶ E H̶
T Z̶ T E H̶B̶ D Z̶ E H̶ M H̶ A Z̶ B̶ R I B̶H̶ N

LA CASQUETTE DE MARIN

Page 15

BENJAMIN
CASTOR
OURSON
BERNACHE
CANARD
RENARD
LAPIN

Page 17

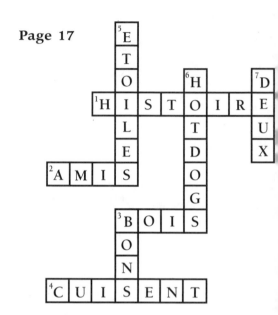

Page 19

C	V	S	O	C	C	E	R	W	B
B	A	S	N	A	G	E	R	I	P
A	C	B	H	T	P	L	O	N	C
S	O	U	T	B	A	L	L	E	F
E	N	T	R	A	I	N	E	U	R
B	F	R	A	T	O	C	C	E	A
A	E	R	O	N	R	A	G	P	
L	I	E	N	N	B	A	L	L	P
L	O	P	L	O	N	G	E	R	F
S	B	A	T	O	P	N	A	G	P